언제까지나
너를 사랑해
Love You Forever

글 · 로버트 먼치   그림 · 안토니 루이스   옮김 · 김숙

어머니는 갓 태어난 아기를 가슴에 꼭 안고
포근하게, 부드럽게 다독거리고 있습니다.
자장 자장 자장 자장
그리고 어머니는 아기에게 가만히 노래를 불러줍니다.

너를 사랑해 언제까지나
너를 사랑해 어떤 일이 닥쳐도
내가 살아 있는 한
너는 늘 나의 귀여운 아기

아기는 점점 자랐습니다.

자라고   자라고   **자라서**

이제 아기는 두 살이 되었습니다.
두 살배기 아기는 집안을 돌아다니기 시작합니다.

책장의 책을 전부 꺼내   냉장고 안을 뒤져
마구 흐트러뜨리기도 하고,   음식을 다 쏟아버리기도 합니다.

그뿐이 아니지요
어머니의 시계를 변기에 넣고
물을 내려버리기도 합니다.

하지만 밤이 되어 두 살배기 아기가 잠들고 나면
어머니는 살며시 아기 방의 문을 열고 들어가
침대 머리맡으로 다가갑니다.
아기가 깊이 잠들어 있는 것을 확인하고 나서
아기를 품에 안습니다.
자장 자장 자장 자장
그리고 어머니는 노래를 부릅니다.

      너를 사랑해 언제까지나
      너를 사랑해 어떤 일이 닥쳐도
      내가 살아 있는 한
      너는 늘 나의 귀여운 아기

아기는 점점 더 크게 자라납니다.

자라고   자라고   자라서

이제 아기는 아홉 살이 되었습니다.

아홉 살이 된 남자아이는,
저녁식사 시간이 되어도 놀기만 합니다.

애야, 저녁 먹어라.

목욕 같은 건 정말 싫다고
떼를 쓰지요.

＊ ˋ ☆ ⑨ × ! ! !

그리고 할머니가 오시면
언제나 버릇없는 말만 하지요.

때때로 어머니는 생각합니다.
「이 녀석, 동물원에라도 팔아버리고 싶은 심정이야!」

하지만 밤이 되어 아홉 살짜리 남자아이가 잠들고 나면
어머니는 아이 방의 문을 살며시 열고 들어가
침대 머리맡으로 다가갑니다.
아이가 깊이 잠들어 있는 것을 확인하고 나서
아이를 품에 안습니다.
자장 자장 자장 자장
그리고 어머니는 노래를 부릅니다.

너를 사랑해 언제까지나
너를 사랑해 어떤 일이 닥쳐도
내가 살아 있는 한
너는 늘 나의 귀여운 아기

소년은 점점 더 자라납니다.

자라고   자라고   자라서

이제 아이는 십대 소년이 되었습니다.

십대 소년은
이상한 친구들과 사귀고,
이상한 옷을 입고,
이상한 음악을 듣습니다.

때때로 어머니는 생각합니다.
「마치 내가 동물원에 와 있는 기분이지 뭐야!」

하지만 밤이 되어 소년이 잠들고 나면
어머니는 아이 방의 문을 살며시 열고 들어가
침대 머리맡으로 다가갑니다.
아이가 깊이 잠들어 있는 것을 확인하고 나서
그 다 커버린 아이의 등을 부드럽게 토닥거립니다.
자장 자장 자장 자장
그리고 어머니는 노래를 부릅니다.

너를 사랑해 언제까지나
너를 사랑해 어떤 일이 닥쳐도
내가 살아 있는 한
너는 늘 나의 귀여운 아기

십대 소년은 점점 더 자라납니다.

자라고 　　　　　 자라고 　　　　　 자라서

이제 아이는 어른이 되었습니다.

어른이 된 아들은 집을 떠나 이웃 마을에 살게 되었습니다.

하지만 밤이 되어 주위가 어두워지면
때때로 어머니는 버스를 타고
이웃 마을 아들집으로 가곤 했습니다.

아들의 집에 불이 꺼져 있으면
어머니는 발소리를 죽이고 침실 문을 열고
살며시 침대로 다가갑니다.
아들이 깊이 잠들어 있는 걸 확인하고 나서
이제 한 사람의 어른으로 성장한 그 멋진 아들을 안아봅니다.
그리고 어머니는 노래를 부릅니다.

> 너를 사랑해 언제까지나
> 너를 사랑해 어떤 일이 닥쳐도
> 내가 살아 있는 한
> 너는 늘 나의 귀여운 아기

어머니는 나이가 들어갔습니다.

점점   점점 더   늙어갔습니다

어느 날 어머니는 아들에게 전화를 걸어 말했습니다.
「얘야, 나에게 좀 와 주겠니. 이제 나이가 들어 힘이 없구나.」
아들은 어머니를 만나러 갔습니다.
어머니 방에 들어가려고 하는데
어머니가 들릴 듯 말 듯 막 노래를 시작하고 있었습니다.

      너를 사랑해 언제까지나
      너를 사랑해 어떤 일이 닥쳐도……

하지만 그 뒤를 계속 이을 수가 없었습니다.
어머니는 너무 나이가 많이 들어 기운이 없었기 때문에
이제 더는 노래를 부를 수가 없었던 것입니다.

아들은 어머니 방으로 들어갔습니다.
그리고 어머니를 두 팔로 감싸 안았습니다.
어머니를 안고 아들은 천천히 노래를 불렀습니다.

사랑해요 어머니 언제까지나
사랑해요 어머니 어떤 일이 닥쳐도
내가 살아 있는 한
당신은 늘 나의 어머니

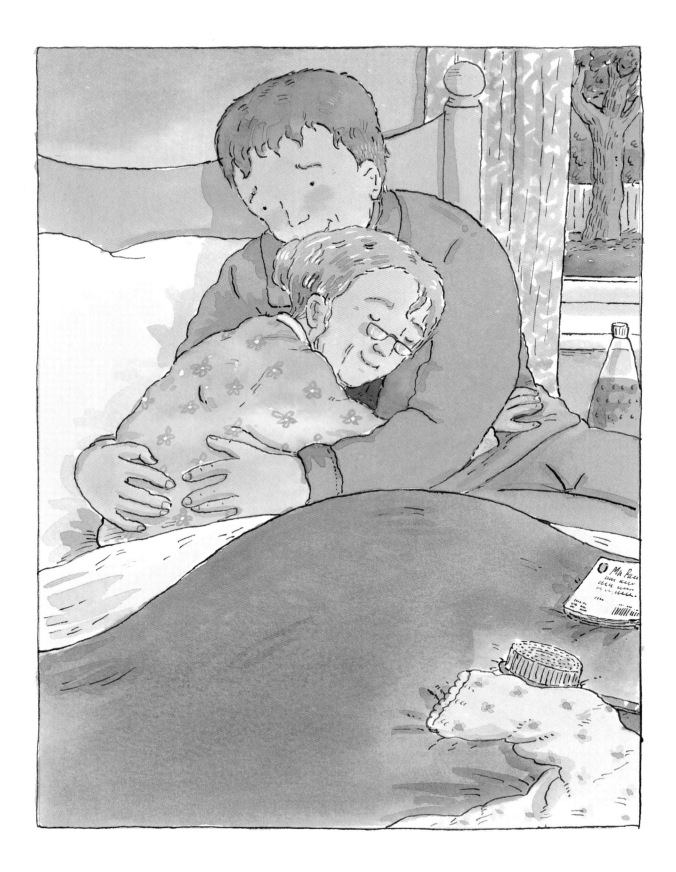

그날 밤, 자기 집으로 돌아온 아들은
한참 동안
창 밖을 바라보며 서 있었습니다.

그리고 나서 방으로 들어갔습니다.
그곳엔 막 태어난 여자아이가 잠들어 있었습니다.
그는 아기를 품에 안고
포근하게, 부드럽게 다독거리기 시작했습니다.
자장 자장 자장 자장
그리고 아기를 안고 노래를 불렀습니다.

너를 사랑해 언제까지나
너를 사랑해 어떤 일이 닥쳐도
내가 살아 있는 한
너는 늘 나의 귀여운 아기

로버트 먼치

로버트 먼치는 1945년 미국의 펜실버니아 주 피츠버그에서 9명의 형제 가운데
네 번째로 태어났습니다. 그는 어릴 때 학교 공부보다는 공상하기를 좋아했고 시를 즐겨 쓰는
감수성이 예민한 소년이었으나, 아무도 그의 그런 재능을 중요하게 여기지 않았으므로
캐톨릭 고등학교에 진학한 그는 혼자 많은 책을 읽으며 수도사가 되기로 결심합니다.
그런데 수도사가 되기 위한 공부를 하는 동안 가끔 아르바이트를 하던 유아원에서
자신이 원하는 일이 바로 아이들을 돌보는 일이라는 걸 깨닫게 됩니다. 그래서 그는 다시
대학에서 일 년 동안 아동학을 공부한 후 유아원으로 돌아옵니다.
그는 낮잠 자는 시간에 아이들을 조용히 하게 하기 위해서 매일 아이들에게 자기가 만든
이야기를 들려주곤 했습니다. 그러나 그때만 해도 그는 그 이야기들이 책으로
만들어지리라곤 꿈에도 생각하지 못했습니다.
그러던 어느 날, 그와 그의 아내가 일하던 유아원이 정부 지원금이 중단되는 바람에
계속 일을 할 수 없게 되었으므로, 그들 부부는 캐나다로 가서 새롭게 일을 하기로 마음먹고
캐나다로 갑니다. 그들은 캐나다 온타리오의 굴프대학(Guelph) 부설 유아원에서 다시 일을
시작하였는데, 그 때 마침 아동도서관의 사서가 된 그의 상사의 부인이 그가 아이들에게
이야기를 들려 주는 것을 듣고는 그 이야기들을 책으로 내 보는 게 어떠냐고 권했습니다.
처음에는 그 권유를 받아들이지 않았지만, 결국 그는 열 가지 이야기를 열 군데의 출판사에
보냈고, 그 중 한 군데에서 그의 이야기를 책으로 만들어 주기로 합니다.
그리하여 그는 캐나다에서 작가가 되었고, 그 후 그는 대학에서의 일을 정리하고
본격적으로 아이들에게 이야기를 들려주는 일과 글 쓰는 일만을 하게 됩니다.
그의 책들이 속속 좋은 반응을 얻으면서 그는 캐나다에서 베스트셀러 작가가 되었으나
미국에서는 그다지 알려지지 않았습니다.
그 무렵 <언제까지나 너를 사랑해(Love You Forever)>가 캐나다에서 출간되었고,
그 책은 1986년에 3만 부가, 1987년에는 7만 부가, 1988년에는 백만 부의 판매 기록을 올리면서
매년 베스트셀러 아동서적이 되었습니다.
그런데 이상하게도 <언제까지나 너를 사랑해>는 아무도 모르는 사이에 (캐나다 제목을 달고 있었음에
도) 미국에서도 이미 베스트셀러 아동서적이 되어 있었습니다.
1994년이 되어 뉴욕타임즈는 1978년 이후 변함이 없던 베스트셀러 아동서적 목록을
변경하지 않을 수 없게 되었습니다. 그들은 아동서적 베스트셀러 1위 자리에 8백만 부가 팔린
<언제까지나 너를 사랑해>를 올려 놓았습니다.

그러나 아무도 작가에 대해서는 아는 바가 없었으므로, 뉴욕 타임즈의 한 기자가 그에게 전화를 걸어 이렇게 물어야만 했습니다. "도대체 당신은 누구입니까?"
그렇게 그는 자신이 미국에서 가장 잘 팔리는 그림책의
작가라는 사실을 알게 되기까지 무려 8년이 걸렸던 것입니다!

〈언제까지나 너를 사랑해 (Love You Forever)〉

이 책은,

> 너를 사랑해 언제까지나
> 너를 사랑해 어떤 일이 닥쳐도
> 내가 살아있는 한
> 너는 늘 나의 귀여운 아기

이 짧은 노래로부터 시작되었습니다. 그는 이 노래를
이 세상 빛을 보지도 못하고 떠난 그의 두 아이를 기리기
위해서 만들었습니다. 이 노래는 1979년과 1980년에 사산한
그의 두 아이에게 보내는 아버지의 사랑의 노래였습니다.
오랫동안 이 노래가 그의 머리 속에 들어있었지만 그는 노래를 부를 수 없었습니다.
이 노래를 부르려고 할 때마다 눈물이 앞섰기 때문입니다. 그런데 캐나다에서 일하고
있을 때였습니다. 어느 날, 커다란 대학극장에 모인 많은 아이들에게 이야기를 들려 주고 있는데
그의 머리 속에서 이 노래가 하나의 이야기로 만들어지기 시작했습니다. 그러나, 그와 죽 일해
오던 편집자가 그것은 아이들을 위한 책이 아니라고 하여 그는 부득이 다른 편집자를
찾아갈 수밖에 없었습니다. 훗날 그 편집자가 이렇게 말했습니다.
"참 이상한 일입니다. 이 책이 아리조나의 양로원 사회에서 불티나게 팔리고 있어요. 나는 이게
아이들 책이라고 생각하는데 말예요. 어떻게 된 일일까요?"
대답은 '어른들이 어른들을 위해서 이 책을 산다' 라는 것입니다.
부모들이 그들의 부모를 위해서, 그리고 할아버지 할머니들은 그들의 자식을 위해서, 아이들은
모든 사람들을 위해서, 모든 사람들은 아이들을 위해서 이 책을 샀습니다. 사실상, 모든 사람들이
모든 사람들을 위해서 이 책을 산 것입니다. 그것이 이 책이 많이 팔려 나간 이유입니다.
이것은 그의 최대의 베스트셀러입니다. 지금까지 어림잡아 1500만 부 정도가 팔렸습니다.

언제까지나 너를 사랑해

로버트 먼치 글 안토니 루이스 그림 김숙 옮김
초판 1쇄 발행 2000년 5월   3일
초판 15쇄 발행 2001년 12월 25일
펴낸이 · 최용선 ┃ 펴낸곳 · 도서출판 북뱅크
영업 · 황만식
편집 · 곽서은
인천광역시 부평구 십정2동 418-4(교근빌딩 302호)
등록 1999. 5. 3. 제1999-6호
전화 · (032)434-0174 (032)441-0174
팩스 · (032)434-0175
E-mail:bookbank@unitel.co.kr
값 7,500원
ISBN 89-950489-2-1 77840
*잘못 만들어진 책은 구입처 및 본사에서 교환해 드립니다.

LOVE YOU FOREVER

Text by Robert Munsch
Illustration by Anthony Lewis